D1296648

Pour Cyan, Eva et « Saint Michel »

Cet album est une création originale des Éditions Belize

Titre original : Une vie merveilleuse
ISBN : 978-2-917289-21-1

Pour cette édition :

ISBN : 979-10-91978-08-8
Dépôt légal : mai 2013
Achevé d'imprimer en juillet 2018 sur les presses de Papergraf en Italie

3e tirage

Melissa Pigois

Une vie merveilleuse

C’est ici que j’ai passé la plus grande partie de

ma vie

Au début

je n'étais qu'un petit point vert parmi tant d'autres.

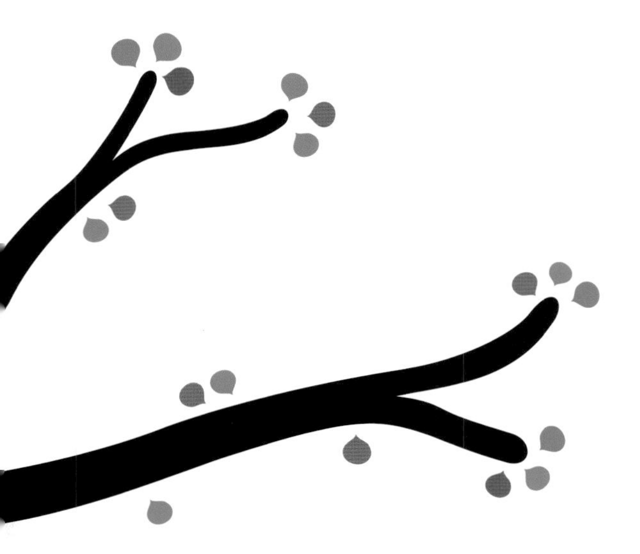

Puis j'ai grandi

jusqu'à devenir une grande et belle feuille.

De là-haut la vue était magnifique.

Juste au-dessous de moi

je voyais jouer les enfants.

Une fois, un chat est venu me rendre visite.
Il a fallu appeler les pompiers pour l'aider à redescendre.

La nuit, j'aimais compter les étoiles.

Un beau jour, un couple d'oiseaux est venu s'installer

sur ma branche.

Ils ont construit leur nid et la femelle a pondu des œufs.

Puis j'ai vu naître et grandir

leurs oisillons.

Cet été-là il a fait très chaud.

L’automne est arrivé et j’ai pris une belle teinte dorée.

Un jour de brise,

quelques-unes de mes amies sont parties.

Puis ça a été mon tour.

J’ai survolé des régions que je ne connaissais pas.

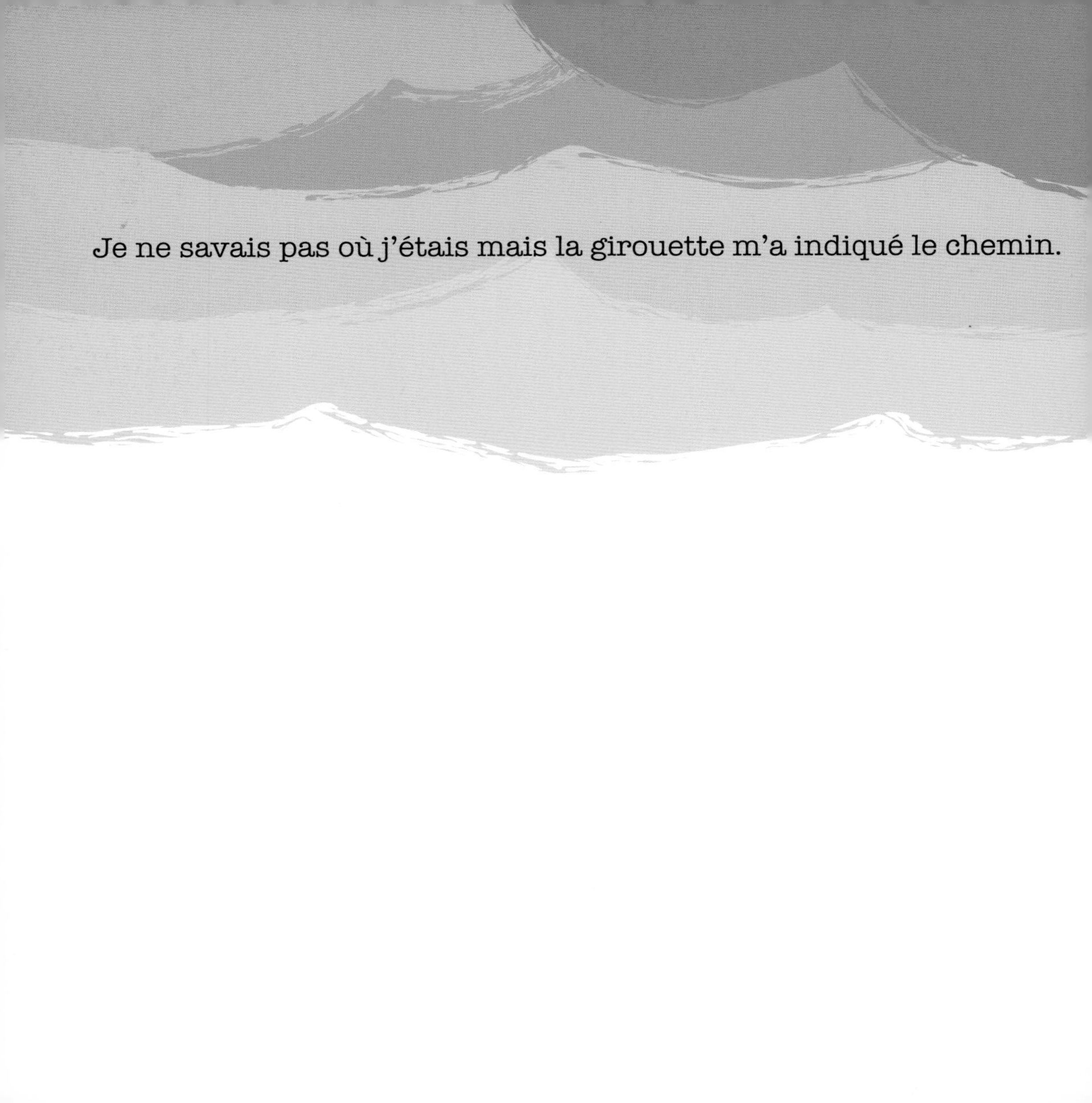

Je ne savais pas où j'étais mais la girouette m'a indiqué le chemin.

N
S

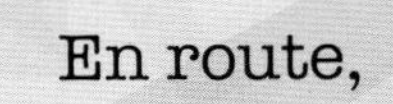

En route,

j'ai rencontré des feuilles qui m'étaient inconnues.

Enfin, j'ai survolé la mer.

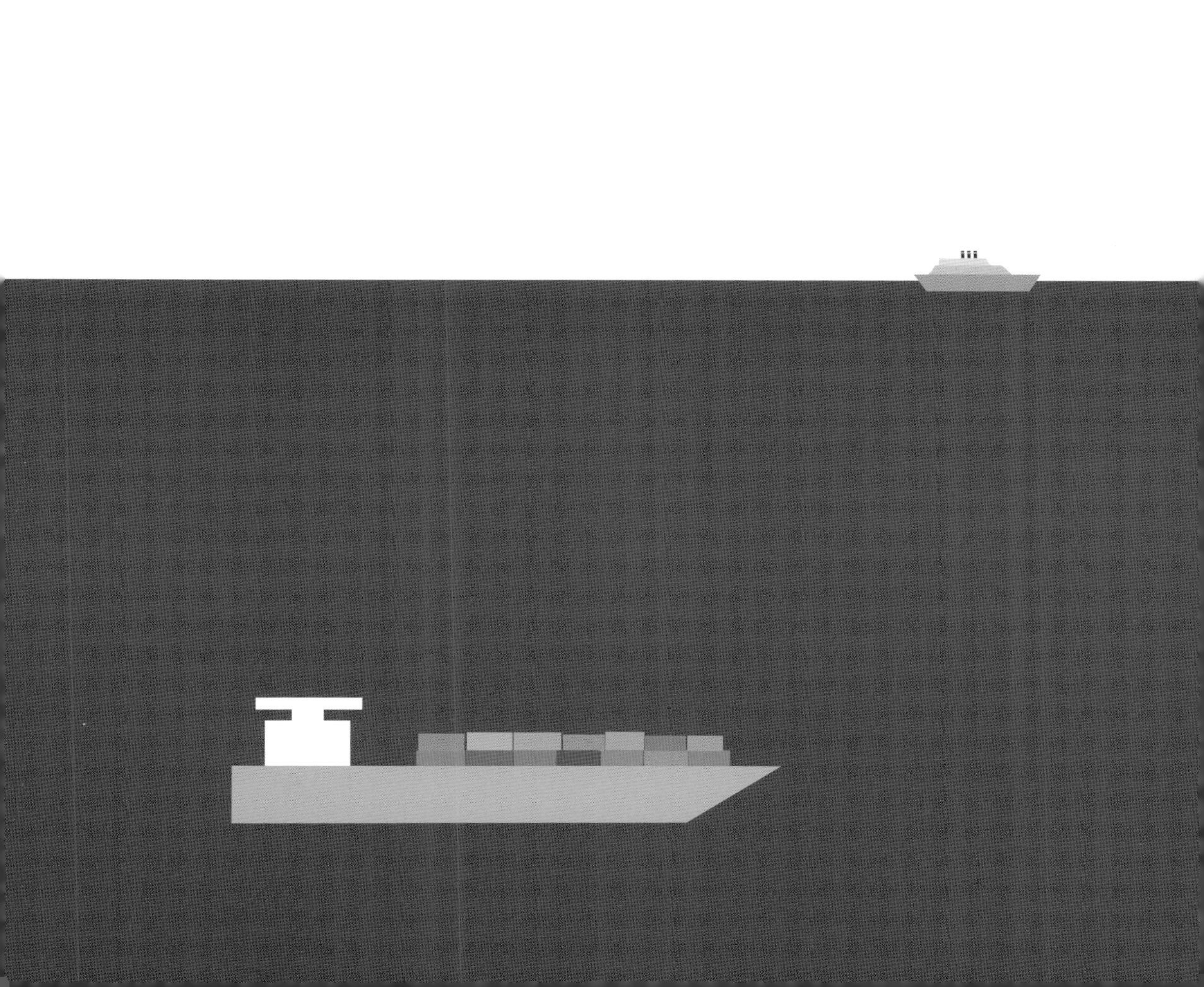

La toute dernière chose que j'ai vue a été une multitude de poissons

multicolores.

J'ai eu une vie extraordinaire !

La bibliodiversité en Tom'poche

Les trois petits champions - Coralie Saudo
La bestiole – Virginie Pfeiffer, Isabelle Flas
La Fille du calligraphe – Caterina Zandonella
Super fiston – Christos, Sébastien Chebret
Graine de pastèque - Greg Pizzoli
Au secours ! J'ai perdu mon slip ! – Christophe Loupy, Bérengère Delaporte
Grand ménage de printemps - Véronique Massenot, Lucie Minne
Pierre la Lune - Alice Brière-Haquet, Célia Chauffrey
Le petit grand samouraï – Kochka, Chiaki Miyamoto
Où est mon chat ? – Princesse Camcam
Jérôme, Amédée et les girafes - Nicolas Gouny
Qui veut sauver le caïmantoultan ? - Claro, Nathalie Choux
Histoire courte d'une goutte - Béatrice Alemagna
Un livre, ça sert à quoi ? - Chloé Legeay
La bassine jardin de Célestin - Marie Zimmer, Laïla Brient
Ce que lisent les animaux avant de dormir – Noé Carlain, Nicolas Duffaut
A l'orée des fées - Lénia Major, Cathy Delanssay
Marlène Baleine - Davide Cali Sonja Bougaeva
Le Cadeau de mémé loup – Didier Dufresne, Armelle Modéré
A la recherche du bonheur - Juliette Saumande, Éric Puybaret
La colère d'Albert – Françoise Laurent, Pascal Vilcollet
C'est pas vrai ! T'as menti ! - Gigi Bigot, Maximiliano Luchini
La Surprise - Nadia Roman, Jean-Pierre Blanpain

www.tompoche-livres-jeunesse.fr